UNA PESADILLA
EN MI ARMARIO

Mercer Mayer

kalandraka

Título original en inglés: **There's a nightmare in my closet**

Colección libros para soñar

© de la edición original: 1968, Mercer Mayer con la licencia de Dial Books
© de la traducción al castellano: Xosé M. González "Oli", 2001
© de esta edición: Kalandraka Editora, 2001
Alemania 70, 36162 Pontevedra
Telefax: (34) 986 860 276
editora@kalandraka.com
www.kalandraka.com

Diseño: equipo gráfico de Kalandraka

Primera edición: septiembre, 2001
ISBN: 84.8464.102.3
DL: PO.354.01

Había una pesadilla en mi armario.

Antes de acostarme,

siempre cerraba la puerta del armario.

Tenía miedo de volverme y mirar.

Metido en la cama,

a veces me atrevía a echar un vistazo.

Una noche decidí librarme de mi pesadilla
para siempre.

En cuanto la habitación se quedó a oscuras,
la sentí acercarse a mi cama.

Encendí la luz con rapidez
y la pillé sentada a los pies de la cama.

– ¡Vete, Pesadilla, o te disparo!
-le dije.

De todas maneras, le disparé.

Mi pesadilla se echó a llorar.

Yo estaba enfadado...

...pero no mucho.

— Calla, Pesadilla, que vas a despertar
a papá y a mamá -le dije.

Pero como no paraba de llorar,
la cogí de la mano,

la metí en la cama...

... y cerré la puerta del armario.

Creo que hay otra pesadilla
dentro de mi armario,
pero mi cama es demasiado pequeña para tres.

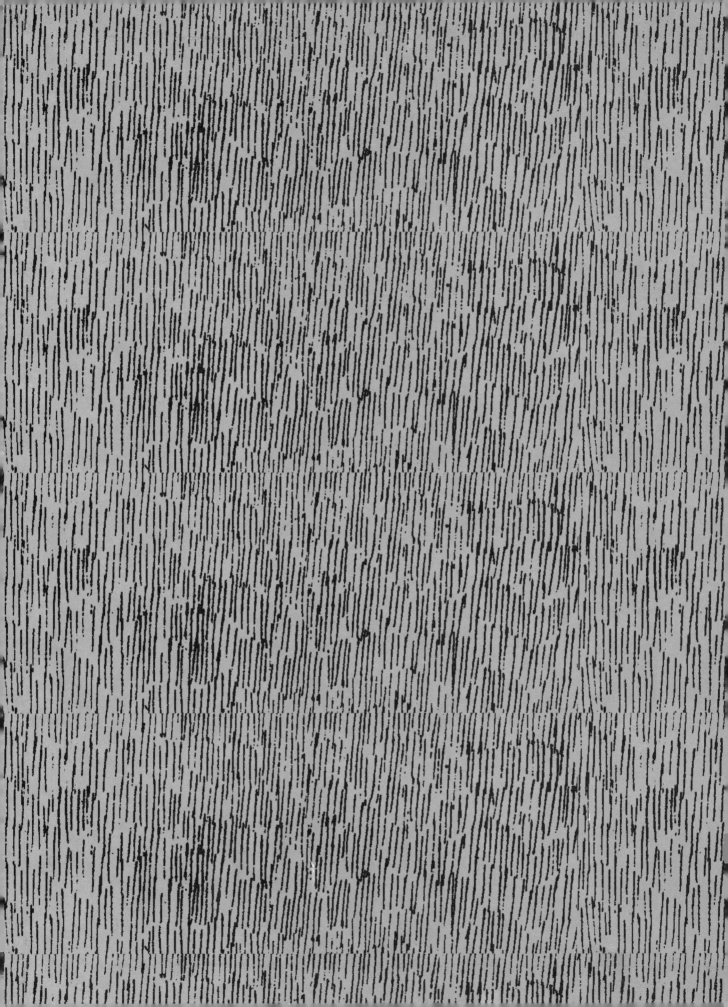